# Beth sydd o dan y gwely?

**Mick Manning a Brita Granström**

**Addasiad Elin Meek**

GOMER

Beth sydd o dan y gwely?

Llawr pren sydd yno,
llawr pren a llwch.

Cymysgedd o fflwff a chroen sych yw llwch tŷ.
Mae creaduriaid pitw bach yn bwyta'r llwch.

Maen nhw'n rhy fach i'w gweld, ond
dyma sut bydden nhw'n edrych drwy ficrosgop.

pycsen

gwiddonyn

# Beth sydd o dan y gwely a'r llawr pren?

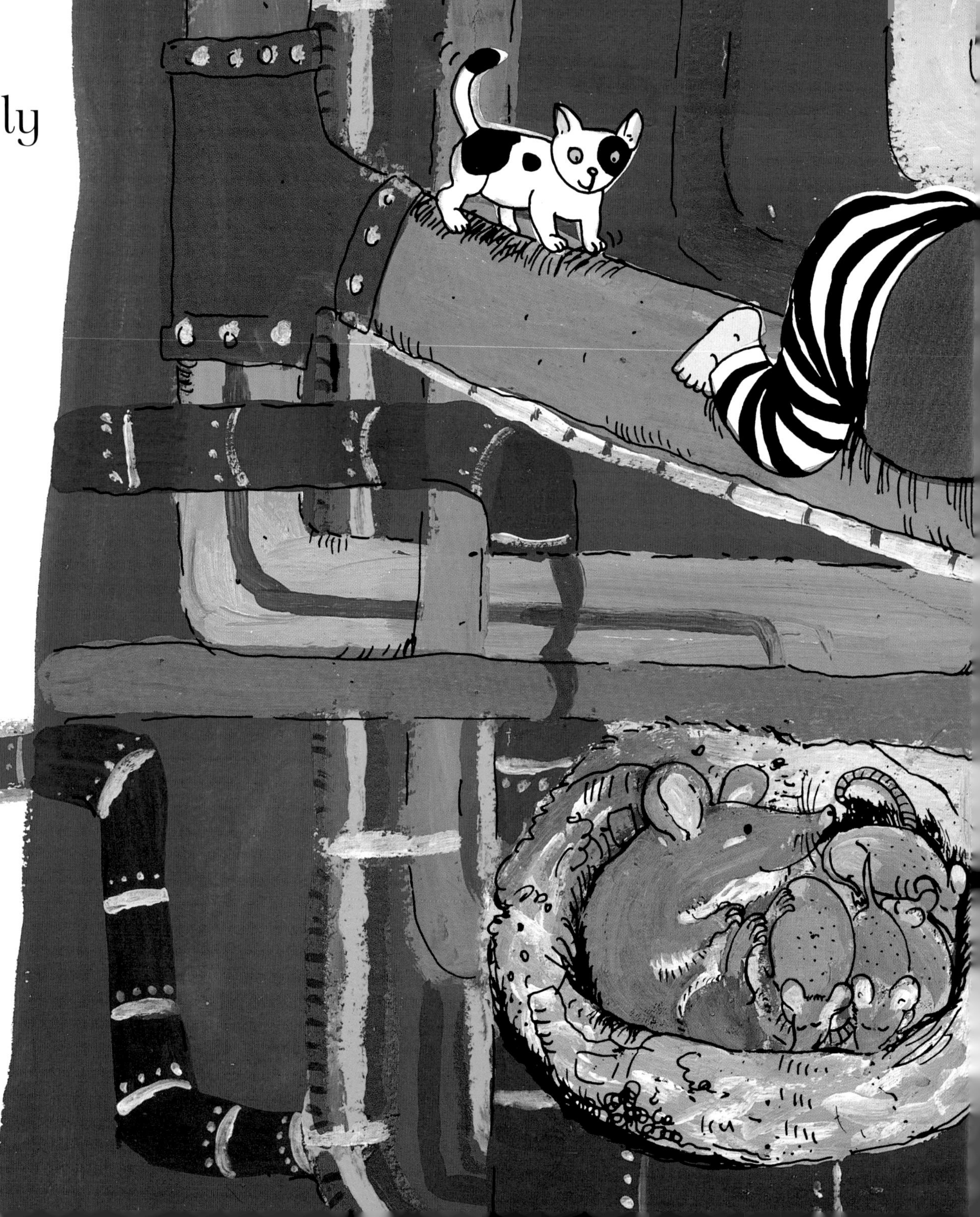

Mae gwifrau a pheipiau'n mynd o dan y llawr a'r tu ôl i waliau. Maen nhw'n cario trydan, nwy a dŵr i mewn i'r tŷ ac o gwmpas y tŷ. Mae gwastraff o'r toiled a'r gegin yn llifo allan trwy beipiau.

Bydd rhai peipiau dŵr yn cael eu lapio i'w hynysu . . .

Mae'r ynysydd yn cadw'r dŵr yn y peipiau'n gynnes.

Gwifrau a pheipiau sydd yno. Gwifrau trydan, a pheipiau dŵr cynnes lle mae llygoden wedi gwneud ei nyth.

Beth sydd o dan
y gwely, y llawr pren,
y gwifrau a'r peipiau
a nyth y llygoden?

Mae gan goeden gymaint o wreiddiau
o dan y ddaear ag sydd ganddi
o ganghennau uwchben y ddaear.
Mae gwreiddiau planhigion yn tyfu
i'r pridd i gael bwyd a dŵr.

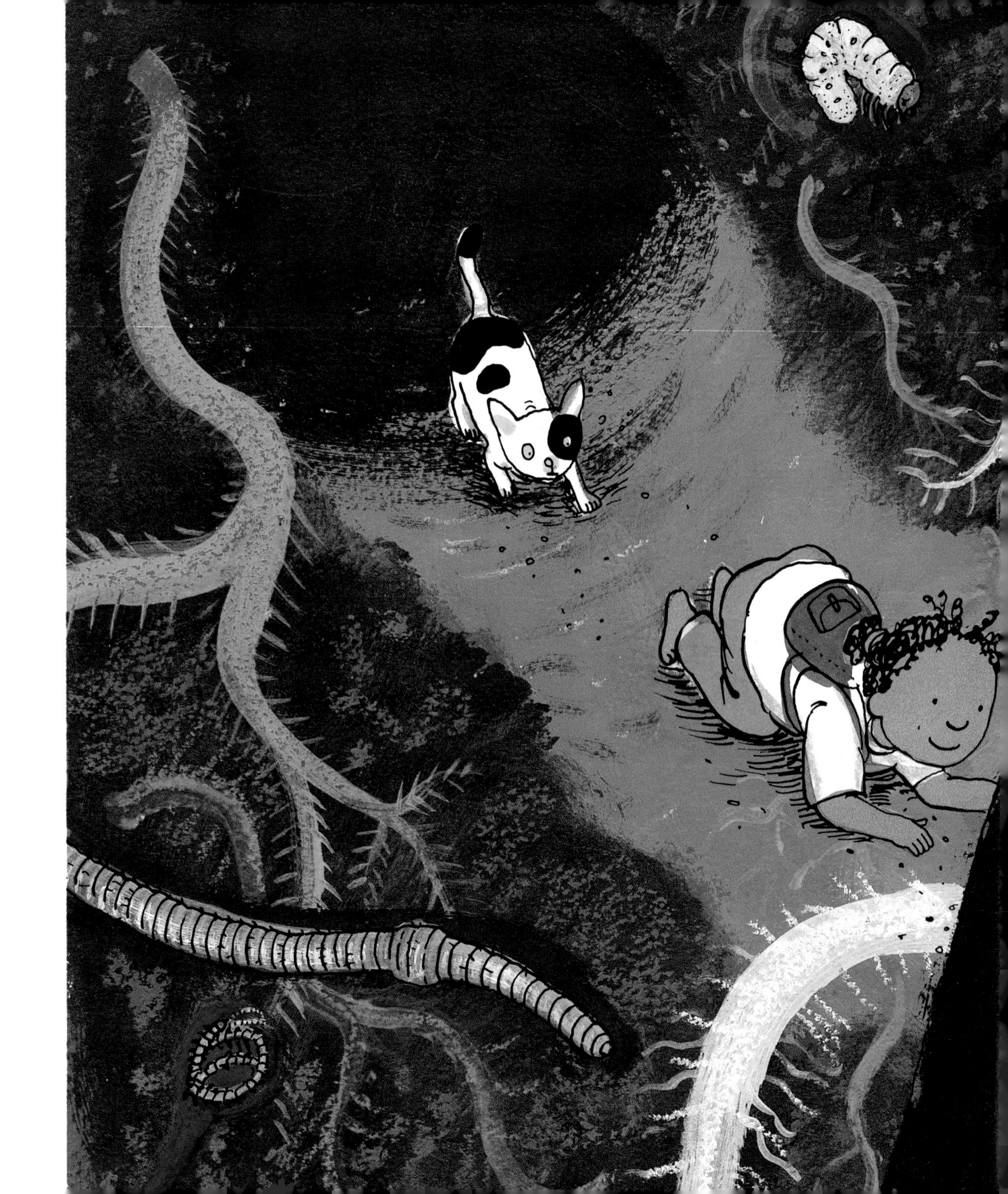

Darnau bach o graig yn gymysg ag aer, dŵr a dail wedi pydru yw pridd.

Mae llawer o greaduriaid bach yn byw yn y pridd.

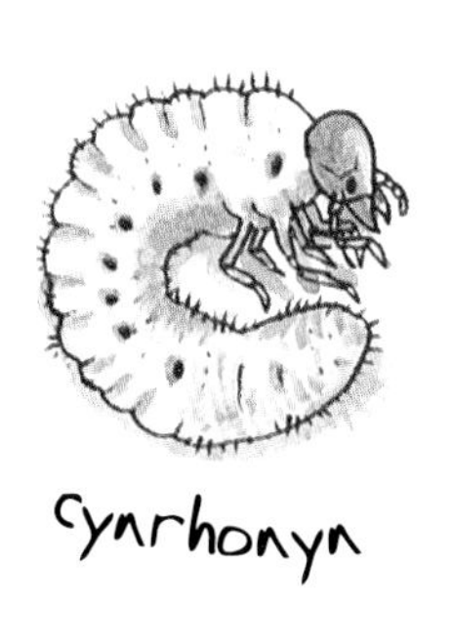


Pridd sydd yno,
pridd a gwreiddiau
planhigion lle mae
mwydod a thrychfilod
yn byw.

Beth sydd o dan
y gwely, y llawr pren,
y gwifrau a'r peipiau,
nyth y llygoden, y
pridd a'r gwreiddiau?

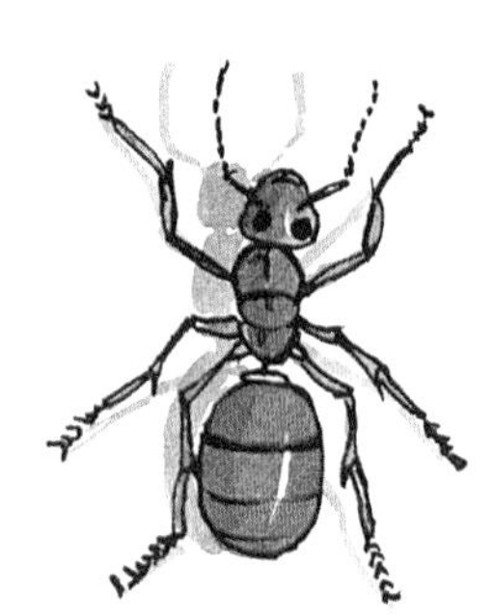

Y Frenhines - sy'n dodwy'r wyau i gyd.

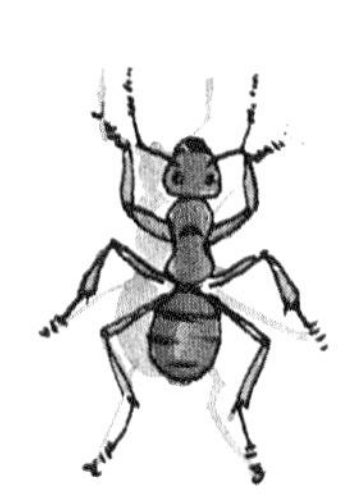

Gweithwyr - morgrug benyw sy'n gwneud y gwaith i gyd yn y gytref - yn chwilio am fwyd ac yn gofalu am yr wyau a'r babanod.

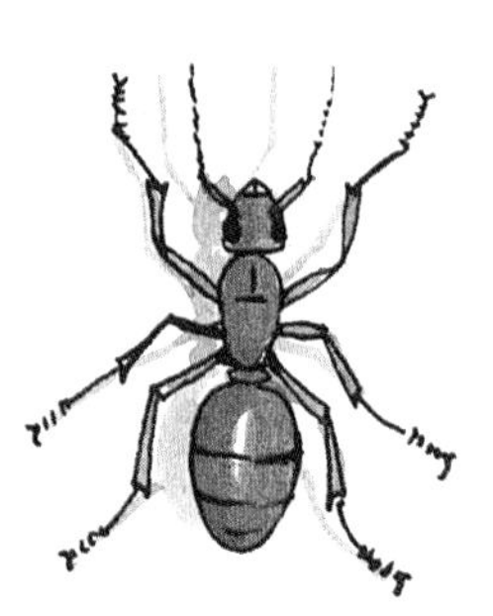

Morgrug Segur - morgrug gwryw sy'n marw unwaith maent wedi helpu'r frenhines i ddodwy ei hwyau.

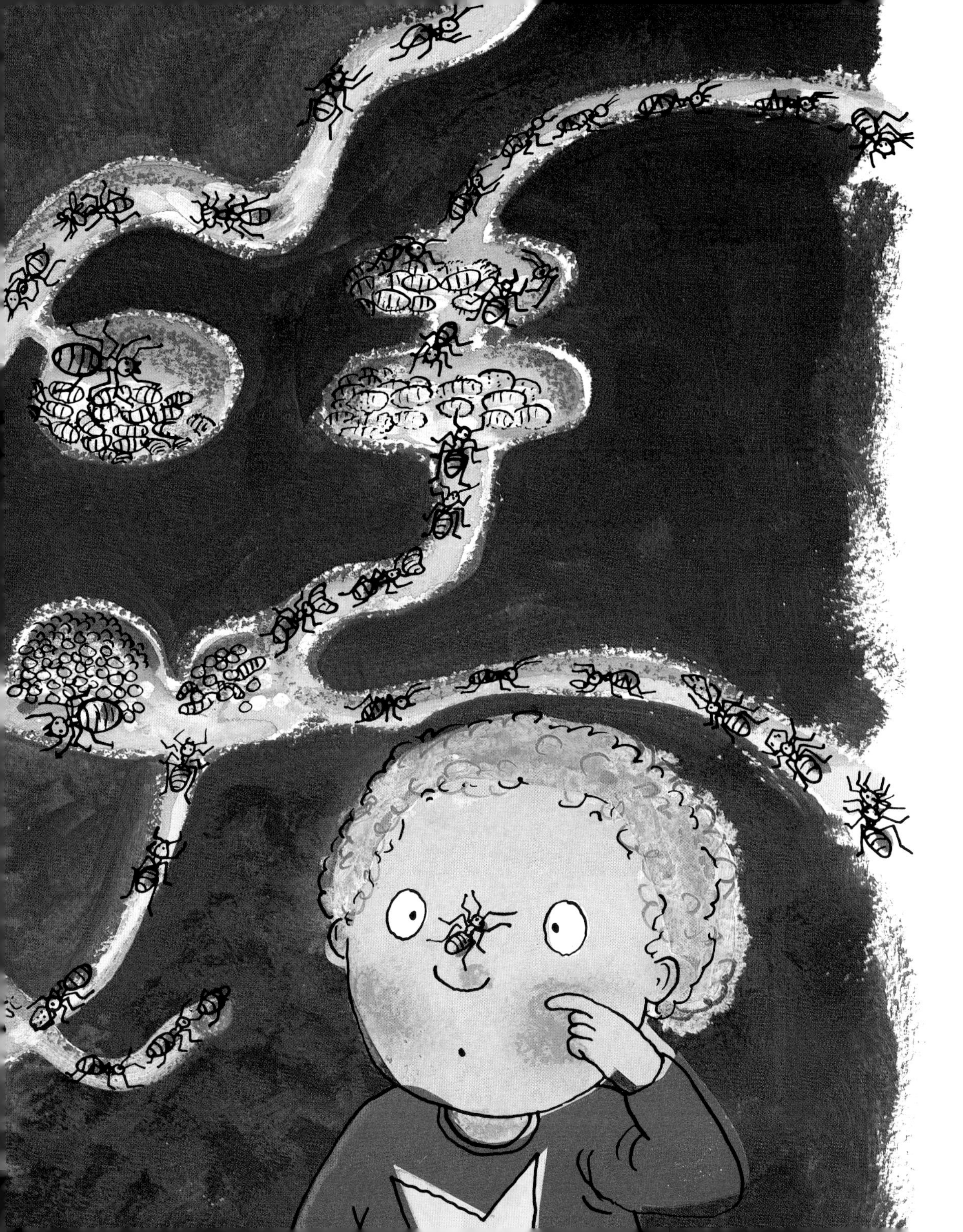

Mae morgrug yn gwneud eu cartref o dan ddaear ac yn cloddio twnelau hir gyda lleoedd cysgu, ystafelloedd babanod, a mannau gadael sbwriel.

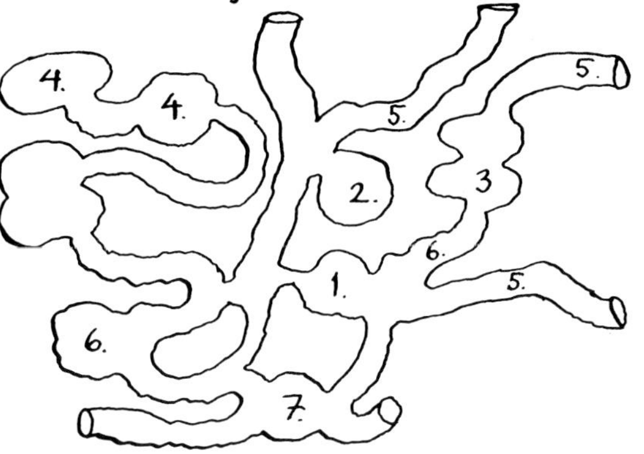


1. Brenhines gydag wyau
2. Brenhines gyda larfau
3. Chwilerod
4. Morgrug yn deor
5. Gweithwyr yn casglu bwyd
6. Chwilerod a larfau'n cael eu symud gan weithwyr
7. Man gadael sbwriel

Morgrug sydd yno,
cytref o forgrug prysur.

Beth sydd o dan
y gwely, y llawr pren,
y gwifrau a'r peipiau,
nyth y llygoden,
y pridd, y gwreiddiau
a'r gytref o forgrug?

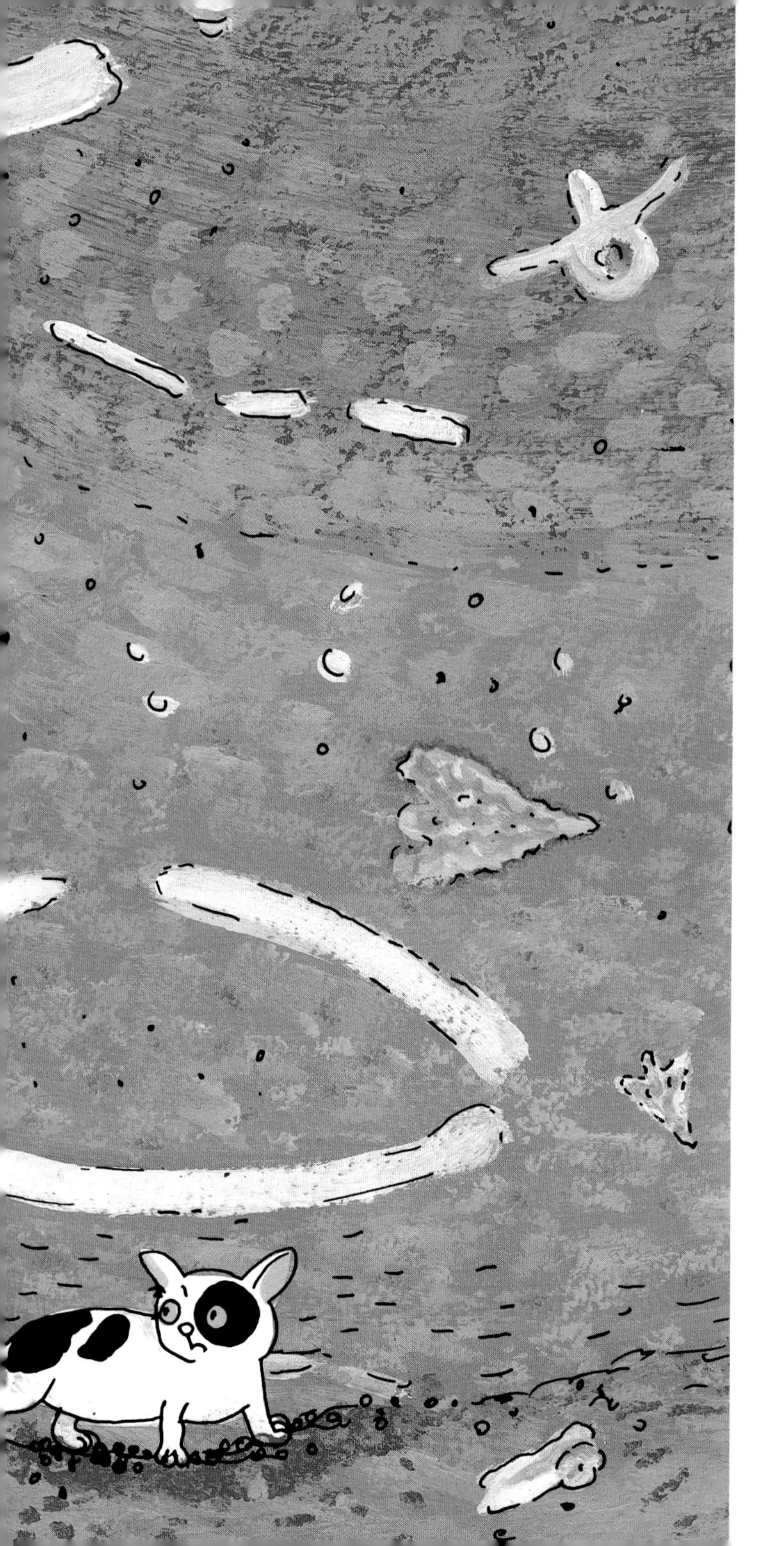

hen odyn

Math o graig yw clai. Mae e'n feddal, yn wlyb ac yn ludiog.

Mae clai'n caledu ar ôl cael ei dwymo mewn odyn (ffwrn arbennig) i wneud crochenwaith.

Mae pobl yn cloddio clai o'r ddaear i wneud platiau, cwpanau a soseri a llawer o bethau eraill.

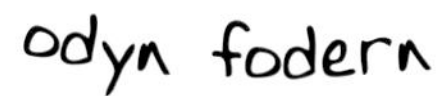

Clai sydd yno, clai sy'n cuddio esgyrn a phennau saethau a adawyd gan bobl amser maith yn ôl.

Beth sydd o dan y gwely,
y llawr pren, y gwifrau a'r
peipiau, nyth y llygoden,
y pridd, y gwreiddiau,
y gytref o forgrug a'r clai?

Mae llawer o ddinasoedd yn y byd wedi arbed lle drwy adeiladu rheilffyrdd sy'n cario teithwyr o dan y ddaear.

Mae grisiau symudol hir yn mynd o'r stryd i bob platfform.

Twnnel sydd yno.
Twnnel tywyll swnllyd
lle mae'r trenau
tanddaearol yn rhuo
heibio.

Beth sydd o dan y gwely,
y llawr pren, y gwifrau
a'r peipiau, nyth
y llygoden, y pridd,
y gwreiddiau, y gytref
o forgrug, y clai a'r
twnnel swnllyd?

Mae dinosor yn marw . . .

dros filiynau o flynyddoedd mae'n troi'n ffosil.

Gweddillion caled hen anifeiliaid neu blanhigion cynhanes yw ffosilau. Maen nhw'n troi'n garreg wedi iddynt gael eu gwasgu yn y graean a'r tywod.



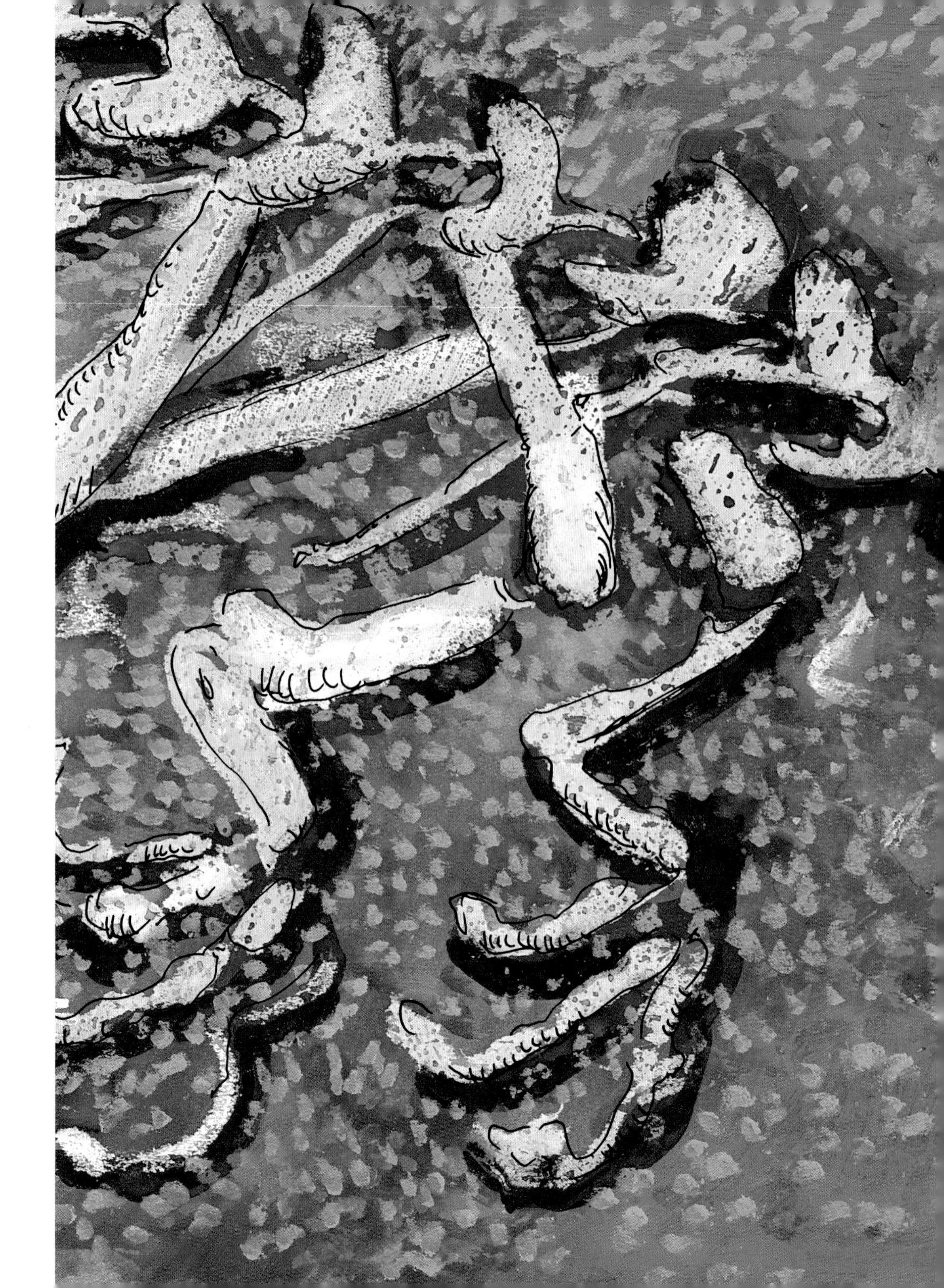

Gallet ti chwilio am ffosil dy hunan ymhlith cerrig a cherigos.

Dinosor sydd yno,
ffosil dinosor
wedi'i gladdu
rhwng haenau
o garreg.

Beth sydd o dan y gwely,
y llawr pren, y gwifrau
a'r peipiau, nyth y
llygoden, y pridd,
y gwreiddiau, y gytref o
forgrug, y clai, y twnnel
swnllyd a ffosil y dinosor?

Filoedd o flynyddoedd yn ôl, roedd pobl gynhanes yn aml yn byw mewn ogofâu. Roedden nhw'n peintio lluniau ar y waliau o'r anifeiliaid roedden nhw'n eu hela...

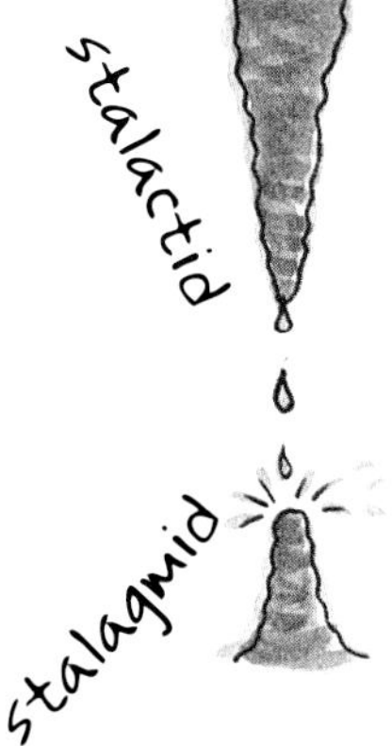


Wrth i ddŵr ddiferu a gadael darnau bach o garreg ar ei ôl, mae pigau carreg yn ffurfio ar do a llawr yr ogof. Stalactidau a stalagmidau yw'r enw arnyn nhw.

Mae ogof yn cael ei ffurfio pan fydd carreg feddal yn cael ei threulio gan afon danddaearol.

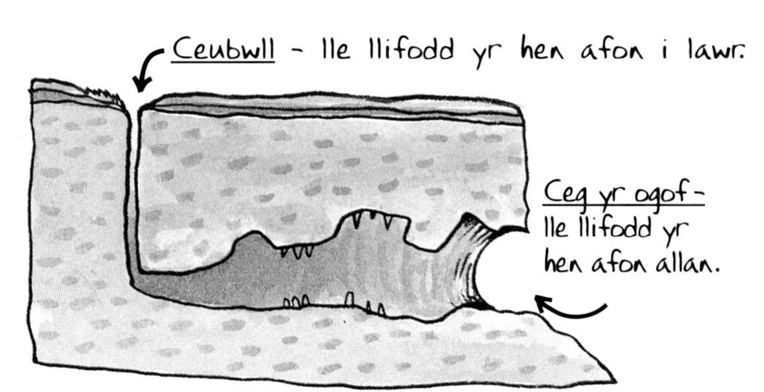


Pan fydd yr afon yn sychu mae'n gadael ogof.

Ogof gudd sydd yno,
ogof â lluniau
cynhanes wedi'u
peintio ar y waliau.

Beth sydd o dan y gwely,
y llawr pren, y gwifrau
a'r peipiau, nyth y llygoden,
y pridd, y gwreiddiau,
y gytref o forgrug, y clai,
y twnnel swnllyd, ffosil
y dinosor a'r ogof gudd?

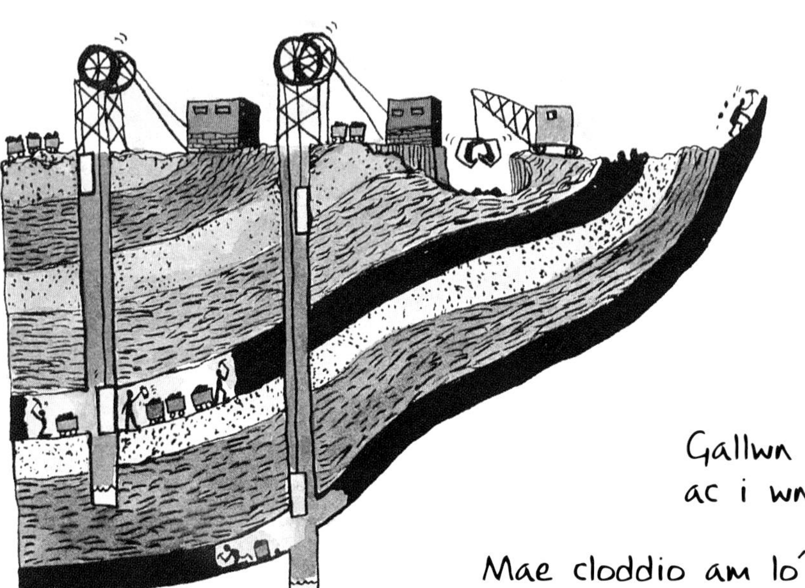

Glo yw'r garreg ddu sydd ar ôl wedi i goedwigoedd corslyd gael eu claddu mewn haenau o fwd 300 miliwn o flynyddoedd yn ôl. Dros filiynau o flynyddoedd trodd y coed yn ffosilau gan greu glo.

Gallwn losgi glo ar y tân ac i wneud trydan.

Mae cloddio am lo'n beryglus - rhaid cloddio tyllau a thwnelau'n ddwfn i'r ddaear.

Tua 100 mlynedd yn ôl roedd merlod pwll glo'n tynnu tryciau glo. Roedd plant bach hyd yn oed yn cael eu hanfon i weithio yn y pyllau.

Mae glowyr yn gwisgo helmau i amddiffyn eu pennau.

Pwll glo sydd yno, hen bwll glo, lle mae peiriannau rhydlyd yn segur yn y tywyllwch a lle mae ffosilau rhedyn i'w gweld.

Beth sydd o dan y gwely,
y llawr pren, y gwifrau
a'r peipiau, nyth y
llygoden, y pridd,
y gwreiddiau, y gytref o
forgrug, y clai, y twnnel
swnllyd, ffosil y dinosor,
yr ogof gudd a'r pwll glo?

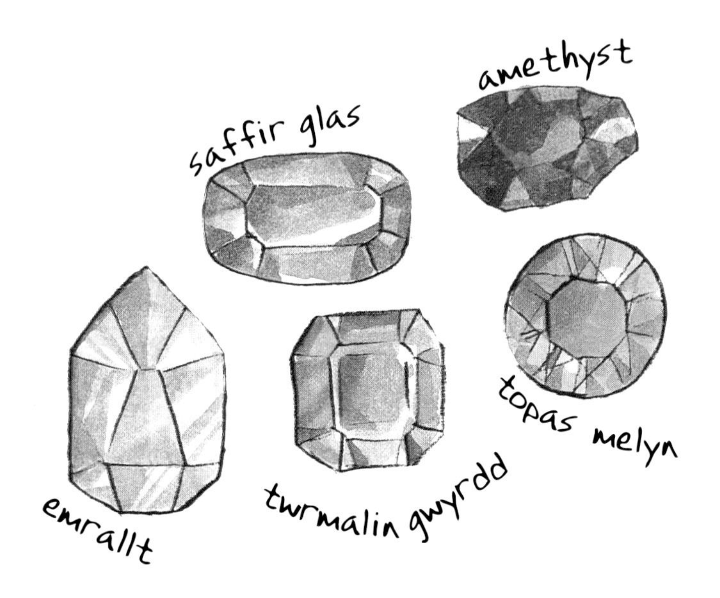

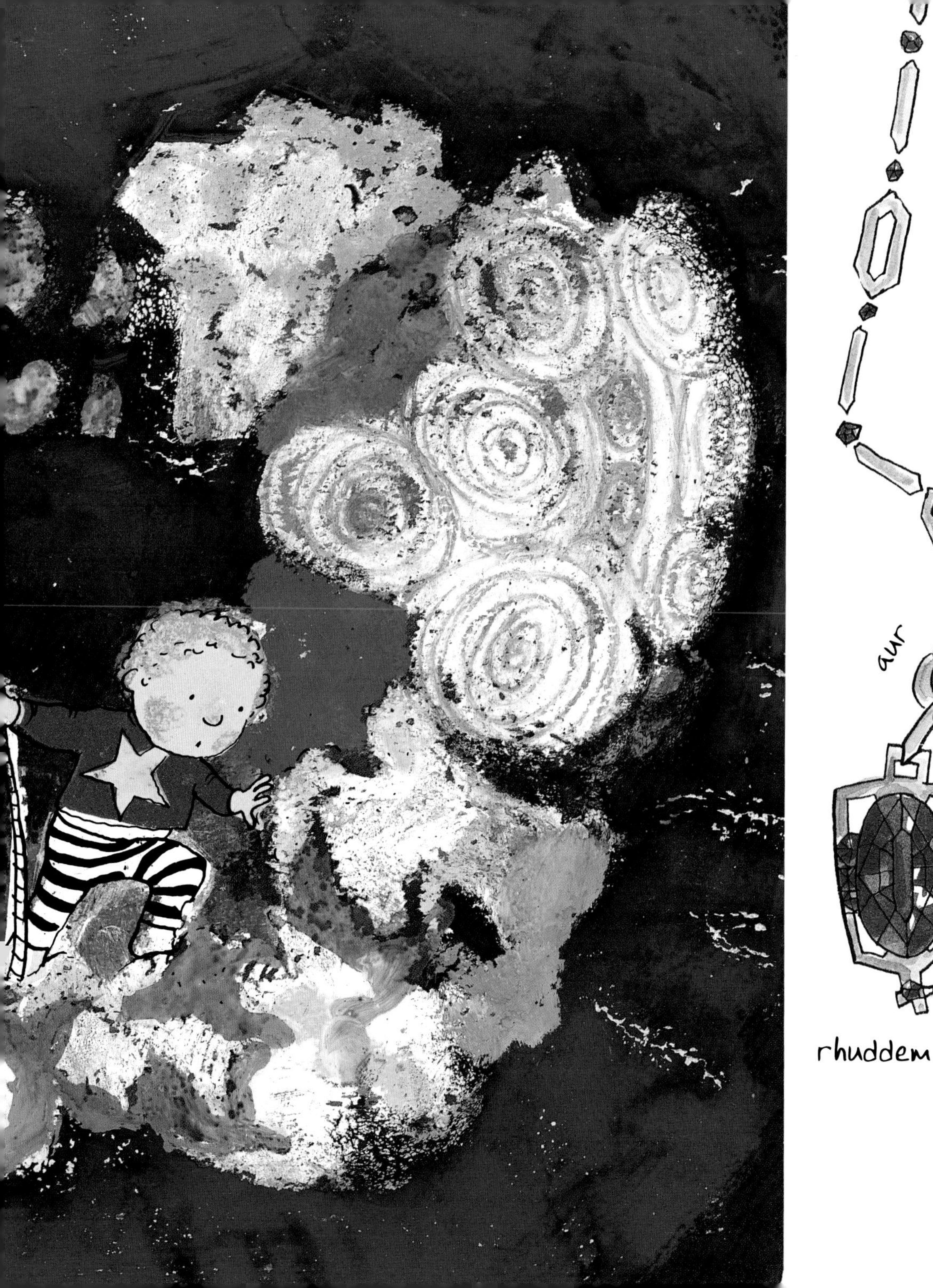

Yn ddwfn o dan ddaear gall craig galed fynd mor boeth nes ei bod hi'n ymdoddi. Weithiau mae aur, arian a grisialau'n cael eu ffurfio pan fydd hyn yn digwydd.

Mae aur a grisialau gwerthfawr yn cael eu cloddio o'r ddaear mewn pyllau a'u torri'n siapiau arbennig i greu "gemau".



Grisialau a metelau gwerthfawr sydd yno. Mae'r cwarts a'r emrallt yn disgleirio yng nghanol yr aur a'r arian.

Beth sydd o dan y gwely,
y llawr pren, y gwifrau
a'r peipiau, nyth
y llygoden, y pridd,
y gwreiddiau, y gytref
o forgrug, y clai,
y twnnel swnllyd,
ffosil y dinosor, yr ogof
gudd, y pwll glo,
y grisialau a'r
metelau gwerthfawr?

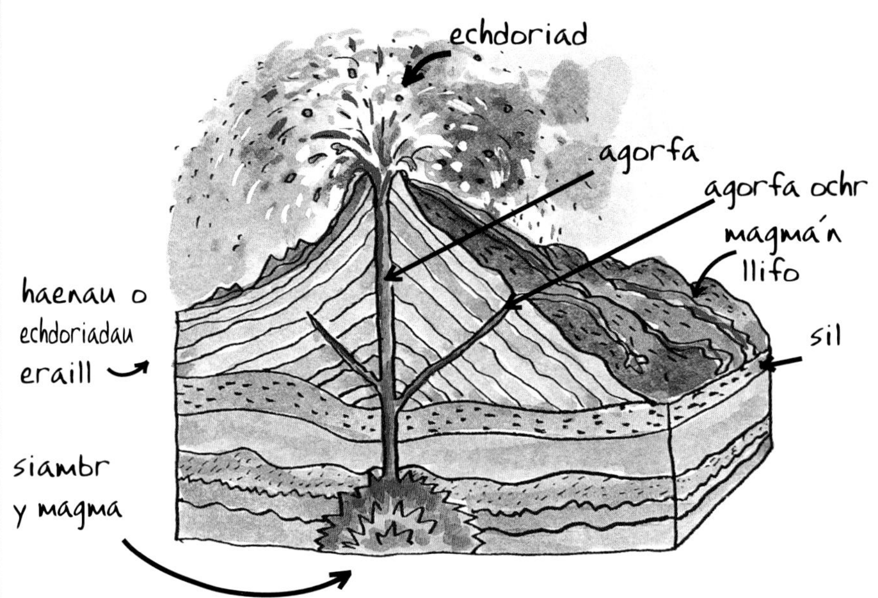


Môr o graig dawdd 700 cilometr o ddyfnder yw magma. Does neb erioed wedi drilio twll mor ddwfn â hyn! Ond rydyn ni'n gwybod am fagma oherwydd mae'n gwthio'i ffordd i'r wyneb weithiau, drwy graciau yn wyneb y Ddaear – llosgfynydd yw'r enw ar hyn.

Magma sydd yno, craig dawdd sy'n boethach na jam berwedig. Dychmyga wres sy'n ddigon ffyrnig i doddi craig.

Beth sydd o dan y gwely,
y llawr pren, y gwifrau
a'r peipiau, nyth
y llygoden, y pridd,
y gwreiddiau, y gytref
o forgrug, y clai,
y twnnel swnllyd, ffosil
y dinosor, yr ogof gudd,
y pwll glo, y grisialau
a'r metelau gwerthfawr
a'r magma?

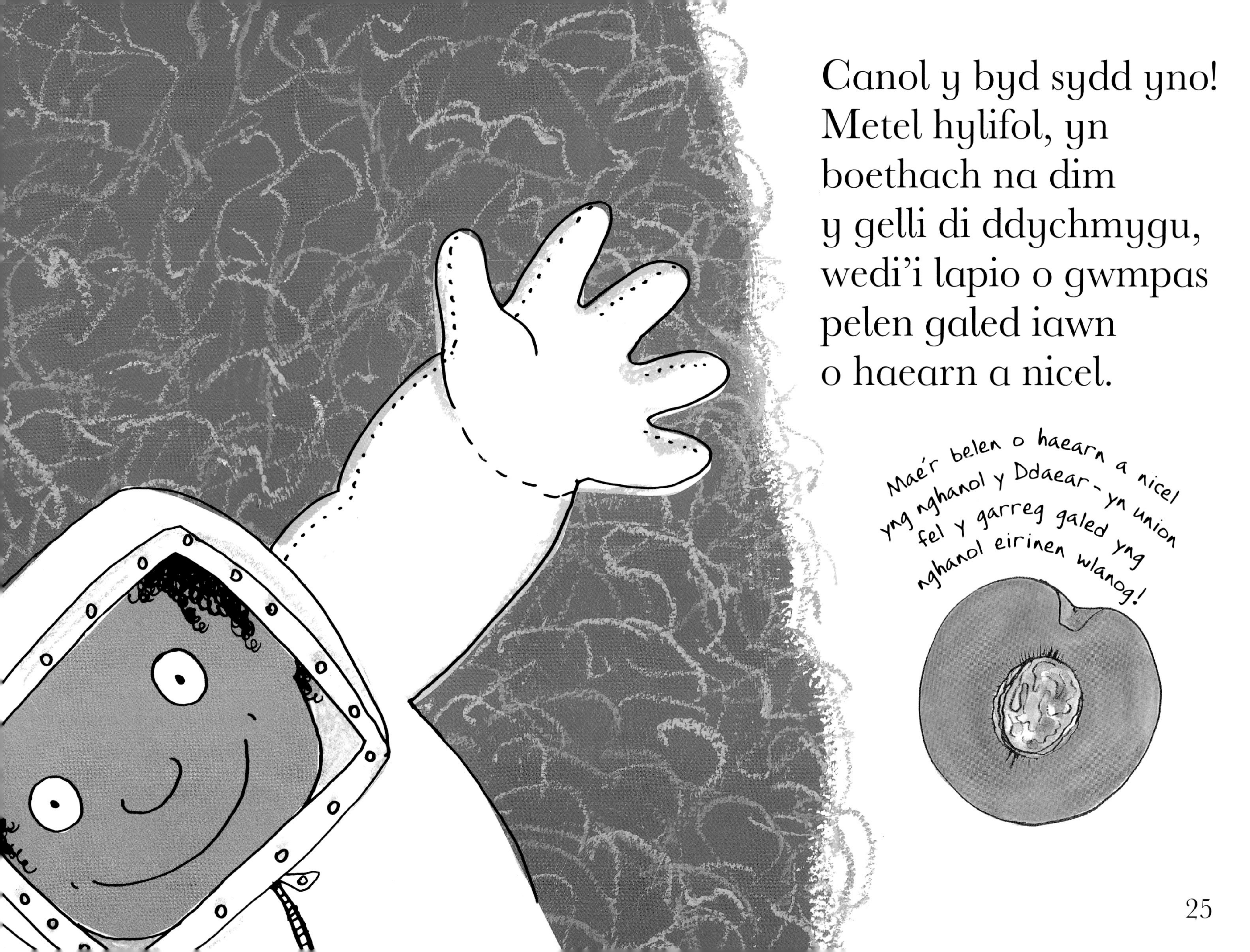


Canol y byd sydd yno!
Metel hylifol, yn
boethach na dim
y gelli di ddychmygu,
wedi'i lapio o gwmpas
pelen galed iawn
o haearn a nicel.

DINOSORIAID
LLOSGFYNYDD!
MORGRUG
TAITH I GANOL Y DDAEAR

Felly . . .
canol y ddaear, magma,
metelau gwerthfawr a grisialau,
pwll glo, ogof gudd, ffosil
dinosor, twnnel swnllyd, clai,
cytref o forgrug, gwreiddiau,
pridd, nyth llygoden, peipiau
a gwifrau a llawr pren,

. . . dyna sydd o dan y gwely!

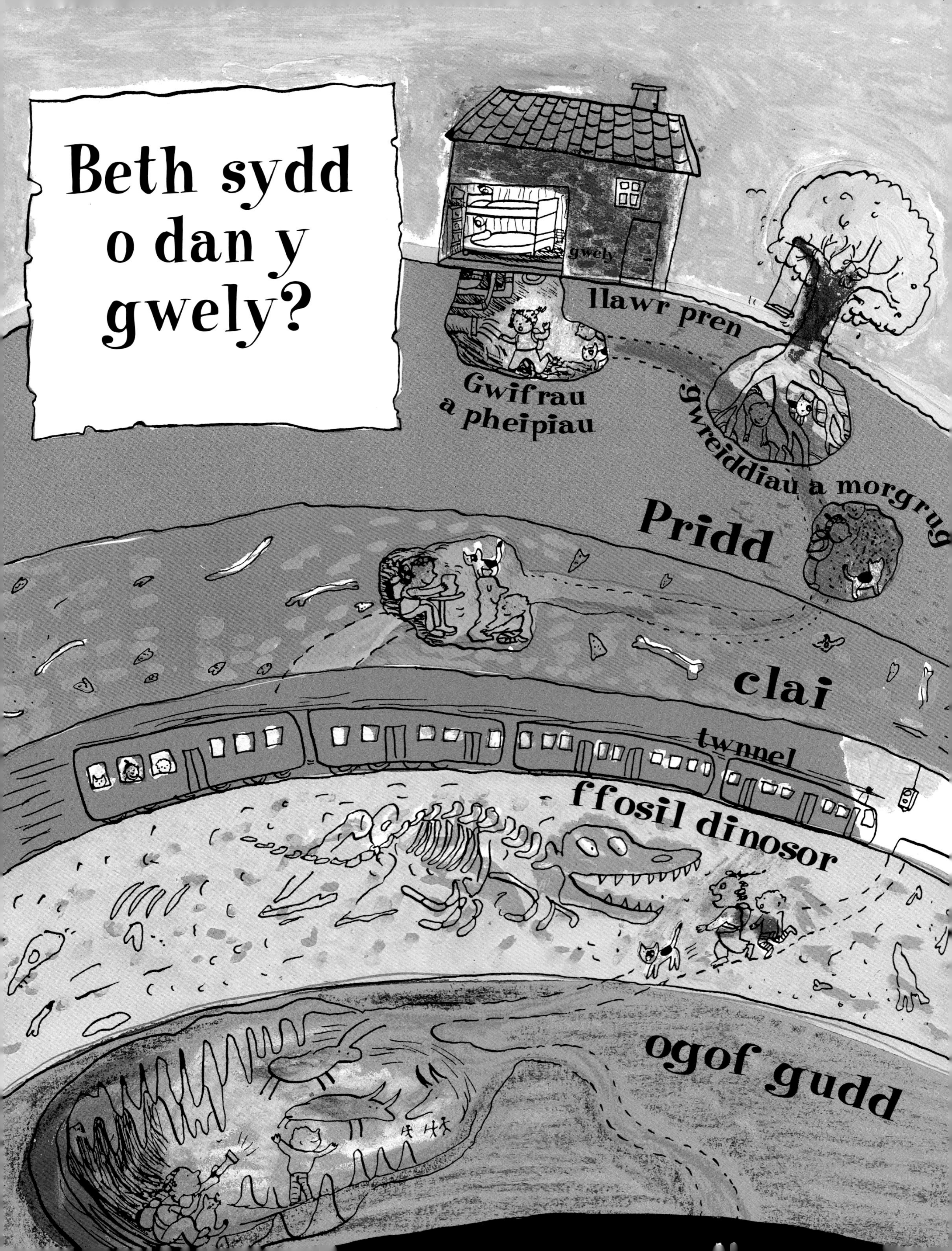
Beth sydd o dan y gwely?
gwely
llawr pren
Gwifrau a pheipiau
gwreiddiau a morgrug
Pridd
clai
twnnel
ffosil dinosor
ogof gudd

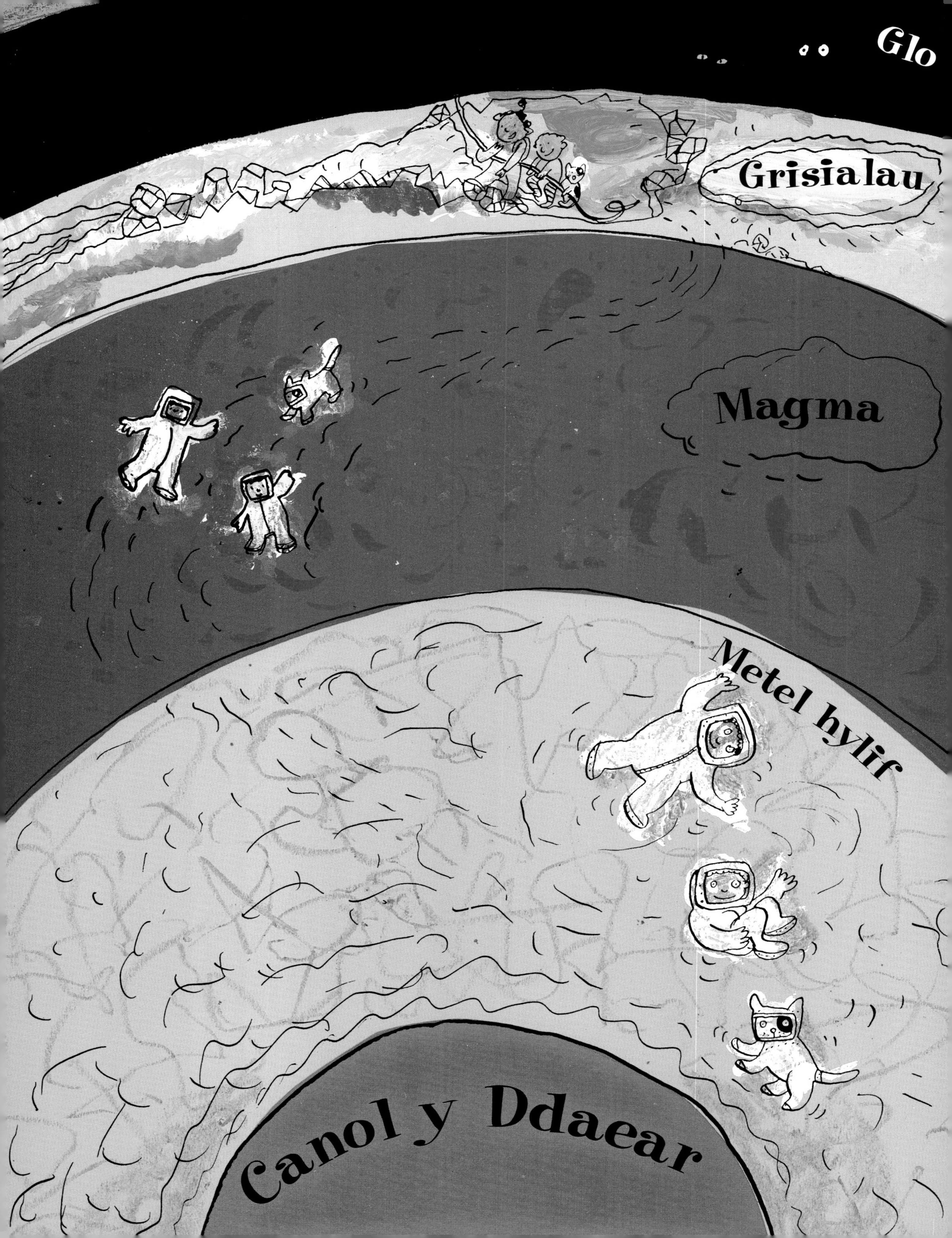
Glo
Grisialau
Magma
Metel hylif
Canol y Ddaear

# Geiriau Defnyddiol

**Cynhanes** – amser maith yn ôl, cyn y cyfnod pan ddechreuodd pobl ysgrifennu hanes (tudalen 14, 16, 17).

**Cytref** – grŵp o anifeiliaid sy'n byw ac yn gweithio gyda'i gilydd (tudalen 9).

**Chwilerod** – cyfnod ym mywyd pryfed pan fyddan nhw'n troi o fod yn larfau i fod yn oedolion (tudalen 9).

**Dinosoriaid** – ymlusgiaid cynhanes a oedd yn byw ar y Ddaear tan tua 65 miliwn o flynyddoedd yn ôl (tudalen 15).

**Ffosil** – gweddillion planhigion ac anifeiliaid cynhanes sydd wedi troi'n garreg (tudalennau 14-15).

**Haearn a Nicel** – rhai o'r gwahanol fathau o fetelau sydd i'w cael yn y Ddaear (tudalen 25).

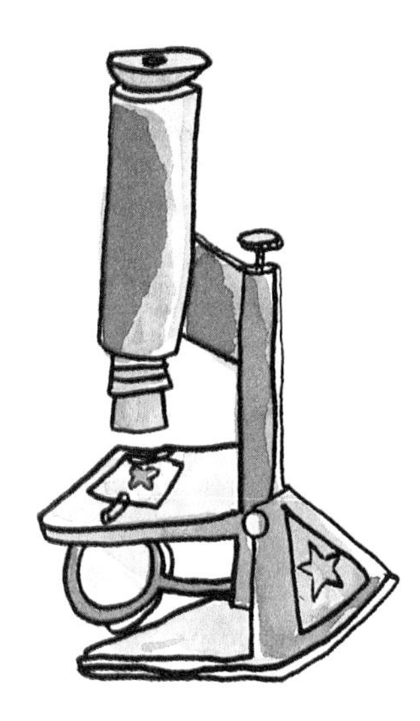

**Larfau** – cyfnod ym mywyd pryfed ar ôl iddyn nhw ddeor o'u hwyau (tudalen 8-9).

**Llosgfynydd** – man ar wyneb y Ddaear lle mae'r graig dawdd o'r enw magma'n gwthio ei ffordd i'r wyneb. Gall llosgfynyddoedd fod ar y tir neu o dan y môr, ac maen nhw'n gallu tyfu'n fynyddoedd neu'n ynysoedd hyd yn oed (tudalen 23).

**Magma** – creigiau hylifol 700 cilometr o ddyfnder (tudalen 23).

**Microsgop** – lensiau arbennig sy'n chwyddo pethau pitw bach yn llawer mwy er mwyn i ni eu gweld nhw (tudalen 2).

**Trychfilod** – creaduriaid bach fel pryfed, mwydod a chorynnod (tudalen 7).

I Paula

Argraffiad Cymraeg cyntaf: 2003

Cyhoeddwyd gyntaf ym Mhrydain yn 1996
gan Franklin Watts, 96 Leonard Street,
Llundain EC2A 4RH


Teitl gwreiddiol: *What's under the bed?*

Golygydd y gyfres: Paula Borton



Cyhoeddwyd dan nawdd Cynllun Cyhoeddiadau Cyd-bwyllgor Addysg Cymru.

Mae Uned Iaith Genedlaethol Cymru yn rhan o WJEC CBAC Limited, elusen gofrestredig
a chwmni a gyfyngir gan warant ac a reolir gan awdurdodau unedol Cymru.

ISBN 1 84323 192 1

Dosbarthiad Dewey 551.1

Argraffwyd yn Singapore

CBAC

GOMER